Kat an Doug on PLANET PERJINK

Susan Rennie

Illustrations by Dave Sutton

Itchy Coo

First published 2002
by Itchy Coo
A Black & White Publishing and Dub Busters Partnership

ISBN 1 902927 56 7

A CIP catalogue record for this book is available from
The British Library.

Scottish
Arts Council
LOTTERY FUNDED

Book designed by Creative Link

Printed and bound in Spain by Bookprint, S.L., Barcelona

For my mum

THIS BUIK BELANGS TAE

● ●

Kat's nixtdoor neibour, Fraser, had awthing: rollerblades wi matchin heidgear an pads, a micro-scooter wi fantoosh wheels. He had a cyberdug an aw, that he thocht wis jist the bee's knees, but it wisna a patch on Doug, Kat's *special* cyberdug.

Kat aften wished Doug wid shaw Fraser whit he wis really like, but she kent he cudna. She wis the ainly person that kent he wis an *astrostravaiger* dug that stravaiged aboot the planets. An ainly she an Doug kent that Kat's gairden wis at the centre o a muckle cosmic roondaboot whaur wormholes met an skited aff tae different pairts o the universe.

Fraser had jist got a new tennis set an wis shawin aff.

'Fancy a game, Katrine?' he speired ower the fence.

'Eh...aw richt,' said Kat, tho she wisna awfie keen.

Fraser gied her an auld, bauchlie racquet, an kept his split-new ane for himsel. The game didna last lang. Kat wis gubbed. Forby, she had skited on the mud in Fraser's gairden an her trainers were barkit.

Whan Kat got back tae her ain hoose, she luiked for Doug tae cheer her up, but she cudna see him onywhaur. Then she heard a lood clatter comin fae the gairden shed.

She luiked oot the windae an saw Doug's bahoochie stickin oot the shed door, wi his cybertail gaun its dinger. Kat kent this wis a sign that Doug had foond a new wormhole. An a new wormhole meant a new space stravaig! She breenged up the stair tae get her wormskates, then doon again an oot the door as fast as she cud. As she wheeched past, she heard her maw sayin, 'Kat, cud ye *please* redd up yer room afore yer tea? *An* chynge thae clarty trainers!' her maw added, pickin a bit dried mud aff the fit o the stair.

'Oh, dear,' said Kat, luikin back. But she didna hae time tae reply. 'Doug! Wait for me!' she shouted, rinnin intae the gairden shed.

Doug wis still reddin a path throu the guddle o plastic flooerpots an auld toys inside.

'Hi, Kat!' he said, turnin tae face her. 'Ye'll need tae haud on ticht. This wormhole's a fast ane.'

Doug's heid stertit tae disappear intae the wormhole. Kat lowped at the end o his leash, catchin it jist in time afore they were wheeched intae the tunnel o brichtly coloured lichts.

'Whaur dis this ane gae?' speired Kat, still pechin.

'I've nae idea!' Doug shouted back tae her. 'This is a new A-type wormhole. It isna on ma map.'

'But then hoo can we find oor wey hame?' said Kat.

'We can ayewis get back tae yer gairden, Kat,' said Doug, 'if we keep gaun faur eneuch. It's jist that, sometimes, I dinna ken whaur we'll end up in-atween.'

But afore Doug had time tae say onything mair, they had arrived at a holo-door leadin tae anither planet. Kat wis jist aboot tae breenge throu the door, whan Doug stapped her.

'Haud on, Kat,' he said. 'Let me analyse the atmosphere first. It micht gie us a clue whaur we are.'

Slawly, Doug's antenna raxed oot throu the holo-door, birled roond a couple o times, an then retreatit intae his heid.

'Hmmm...Interestin...*Gey* interestin...'

'Whit? WHIT?' speired Kat.

'There seems tae be a high concentration o shampoo, saip, wax polish, an...gress trimmins in the air. There's ainly ae place *that* cud be: PLANET PERJINK!'

5

veesitors - please
keep aff the gress

Whan Kat keeked ootside, she had tae blenk hard an shield her een. The holo-exit wis in the middle o a busy toun. On aw sides were rows o cube-shaped buildins, aw the exact same height, wi waws made o sperklin mirror gless. An rinnin across their path, jist afore the holo-exit, wis a road made o perfect green gress. Naebody, tho, wis traivellin on it. Insteid, the air wis fu o sheeny fleein machines shaped like doughnuts that flittit up, doon, sidyweys an aw roond Kat an Doug's heids.

The doughnuts' drivers were claithed in heidscarfs an peenies, an aw o them were busy daein something. Some were skooshin watter an bubbles at the buildins; some were dichtin an polishin the mirrors; an ithers were shampooin an blaw-dryin the gress. Hoverin richt afore the holo-exit wis a sign that wis flashin the message, 'VEESITORS – PLEASE KEEP AFF THE GRESS'.

'But,' said Kat, puzzelt, 'we canna get oot the door withoot walkin on the gress!'

'Nae bother,' said Doug. 'We'll jist traivel as the Perjinkians dae.'

Doug's cyberpaws stertit rummlin, an a few saiconds later, he wis hoverin twa metre abuin the groond.

'Climb aboard!' said Doug, as a rope ladder drapped doon fae his cyber-bahoochie.

'Cool!' said Kat, as she sclimmed up the ladder.

Doug waited tae Kat wis balanced on his back, an then the pair o them glided oot the holo-door intae the Perjinkian toun.

As suin as they were ootside, a weet sponge drapped oot the sky an landed on Doug's neb.

'Sorry!' a voice shouted doon.

Kat an Doug luiked up thegither an saw ane o the doughnuts hoverin abuin them. Whan the driver saw them, he luiked gey fashed an stertit tae stutter, 'b-but...the shuttle fae Planet Clarty isna due for anither *twa oors*. I've ainly jist stertit on this street. Then I've the haill o Trig Square tae dicht, *an* Pernickety Crescent. Forby, the Provost o Fantooshopolis isna here yet. Ye *canna* be early. There maun hae been a...*brakdoon in the schedule!*'

He luiked faint as he said the last words, an had tae sit back doon in his doughnut.

'You *are* fae Planet Clarty, are ye no?' he speired, luikin strecht doon at Kat's barkit trainers.

'Weel, ma maw says ma room *luiks* like Planet Clarty,' said Kat. 'But I didna ken there wis a *real* ane. It's jist I wis playin in Fraser's gairden, an I didna hae time tae chynge, an...'

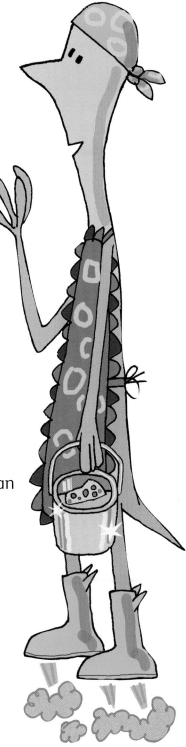

'Ah,' sighed the Perjinkian, dichtin his broo. 'It's no a major brakdoon in oor transport schedule, then. Thank Perjinkness for that!'

'I think,' said Doug, 'I'd better activate ma Declarter.'

Doug's Declarter emerged fae the wee door in the tap o his heid. It had lots o airms, each wi a different cleanin device which skooshed watter an saip aw ower himsel an Kat, follaed by a blaw-dry, polish, an a whitenin for Kat's trainers.

'Phew!' said Kat. 'Noo I ken whit a car feels like.'

'These'll help ye cope wi the sheeny surfaces, ' said Doug. He opened his jaw an spat oot a pair o sunglesses for Kat. At the same time, a shaded visor drapped doon ower his ee-screen.

'Ma apologies,' said the Perjinkian, luikin gey relieved. 'I see noo that ye arena Clartians at aw. I'm Cloot, the heid windae-dichter for west Fantooshopolis. An you are...?'

'I'm Kat,' said Kat, 'fae Scotland — on Earth. An this is ma best freen, Doug. He's an *astrostravaiger*.'

Doug gied a wee bow o his cyberheid.

'Weel, I'm afraid I canna staund here bletherin aw day,' said Cloot. 'I've got work tae dae. There's an important delegation fae Planet Clarty arrivin the day. Oor government is howpin we can sell some o oor stour tae the Clartians. They jist canna get eneuch o the stuff.'

Kat luiked disappointit.

'I tell ye whit,' said Cloot. 'Ye can follae me on ma roonds, if ye like.'

'Thanks!' said Kat, brichtenin up. 'We promise we'll no get in yer road.'

Doug birled roond his cyber-ee tae shaw the video camera on the reverse.

'Dae ye mind if I tak pictures as ye work, Cloot?' he speired, switchin on the camera.

'Naw, on ye gae,' replied Cloot.

Cloot worked his wey alang the streets o Fantooshopolis, dichtin the mirror waws wi his byordinar range o sponges. Doug follaed close ahint, wi Kat on his back, an recorded awthing they saw intae his pawphone for his planetary scrapbuik. In the distance, they cud see ither rows o sheenin mirror buildins – some shaped like pyramids, some like perfect spheres – an streets arranged in exact squares, circles an triangles.

'Whit are *they* daein, Cloot?' speired Doug, pyntin wi his neb tae a pair o Perjinkians hoverin on the side o a gress road.

'They're gress-keekers,' Cloot explained. 'Yon's a gey important job. If they see a blade growin abuin the level o the ithers, they nip oot an prune it strecht awa.'

Ten minutes later, Cloot stapped his hovernut. 'Time for a dichtin break,' he anoonced. He liftit up a sheeny metal box an opened the lid. 'We cry these *pieces*. The Perjinkians inventit them lang syne as a wey o keepin food fae fawin aff their forks.' Cloot shuddered at the thocht, as he offered the piecebox roond.

'Whit a guid idea,' said Doug, winkin a cyber-ee at Kat. 'I'd niver hae thocht o that.'

But as Kat bit intae her piece, a daud o the crust fell ontae the groond. Suddenly, the air wis filled wi flashin reid lichts an skirlin hooters. Cloot had gane aw white an peeliewallie. He wis gawkin at the crumb on the groond, as if he wis feart it wid eat him.

'D-d-dinna fash,' he managed tae say. 'It's j-j-jist the Skail Polis.'

Kat luiked up an saw anither hovernut, wi reid lichts aw aroond its ring, heidin strecht for them.

'WHASE IS YON CRUMB?' said a voice throu a lood-speaker.

'It's...mines,' said Kat, stertin tae feel a bit fashed.

'This is Officer Sproosh o the Skail Polis. Staund weel back,' said the voice. 'Suki!' the voice continued, 'get sookin!'

Sittin nixt tae Officer Sproosh wis a craitur wi a neb like a coiled-up gairden hose. It gied a mega-muckle sneeze an its byordinar neb stertit tae uncoil tae it raxed aw the wey doon tae Kat's taes. Then it stertit tae sook. It felt tae Kat like a haill shopfu o vacuum-cleaners were oot tae get her. She held on ticht tae Doug, feart she micht be sooked up throu Suki's neb. Whan the sookin stopped, there wis a deep dunt in the surface o the planet — an nae sign o Kat's crumb. Then the skail polisnut hovered doon tae jist afore Doug's neb.

'Name an occupation, please,' said Sproosh, luikin strecht at Kat.

'Katrine Ross,' said Kat. 'But I dinna really hae an occupation.'

'Weel, ye maun be *something*,' said Sproosh. 'Are ye a dichter, or a sooker-upper, or a shampooer, or whit?'

'I think I can explain,' said Doug. 'Kat's a veesitor fae the Milky Wey, an I'm...'

'Ah, Milky Weyans!' said Sproosh. 'I've heard fowk arena awfie *crumb-aware* in your galaxy.'

'I'm really awfie sorry,' said Kat. 'I'm jist no yaised tae bein that...perjink.'

'Weel, that's as may be,' said Sproosh, 'but I'll still need tae gie ye a sticker.' An he reached doon an stuck a holographic sticker on Kat's airm. It said 'THINK PERJINK!'.

'I'll try,' said Kat, luikin at the sticker.

'Yon's the first crumb in this sector for five hunner and twenty year,' said Sproosh, shakkin his heid as he pit his sticker buik awa.

A minute later, the Skail polisnut wis awa an the lichts an hooters had stappit gaun their dinger.

'I think,' said Cloot, still slightly frazzelt, 'I'd better be gettin back tae work.'

As Kat an Doug follaed Cloot on his roonds, the rows o sheenin buildins ablow them stertit tae thin oot.

'We're on the ootskirts o Fantooshopolis noo,' said Cloot. 'Doon on the left there is Loch Swankie, whaur we get the watter for oor skooshers. On the bed o the loch there's a muckle sponge ferm, whaur...Luik oot!' shouted Cloot suddenly, as his hovernut birled upwards tae jouk a fleein daud o rock. Doug swerved tae the left jist in time tae avoid bein duntit by it.

'Asterbaw,' explained Cloot. 'It's the finals o the Perjinkian Cup the day.'

Directly doon ablow them wis the ainly bit groond on the planet's surface that *wisna* covered in gress. Insteid, it wis pentit wi multi-coloured circles inside each o which wis a muckle daud o rock. It luiked like dizzens o Perjinkians were rinnin an lowpin aroond the circles, ettlin tae pick up an then hit the rocks intae the sky wi muckle bats.

'Oor ancient histories tell o a michty asteroid storm that duntit oor planet lang syne,' continued Cloot. 'Thoosans o asteroids were dingin doon on oor planet's surface. Can ye imagine the clutter? Ony road, oor planet's perjinkness wis saved by a legendary heroine cried Sclaff, wha

skelpit the asteroids back intae space wi a bat made o a tree trunk. An that's hoo asterbaw stertit. It's a Perjinkian passion noo. The modren baws are made o recycled stour. They're designed tae brak up whan they leave oor atmosphere, sae they dinna clart up ooter space.'

'Hi, Dina!' shouted Cloot tae ane o the players, wha waved back at him.

'Yon's ma big sister, Reddina,' he said, puffin oot his chest a bittie. 'She's in the finals this year.'

'Awesome!' said Kat. 'Dae ye think she cud gie me some tips?'

Dina wis warmin up afore her nixt game, an wis happy tae explain the basics o asterbaw tae Kat. Cloot had tae get back tae work, but said he wid return efter his mornin shift tae see the game.

'I'll jist sit an tak notes,' said Doug, tappin the end o his pawphone tae test the microphone.

'The object o asterbaw, Kat,' said Dina, 'is tae skelp aw the asterbaws in your hauf o the coort intae ooter space afore your opponents dae the same. But mind, it disna coont if ye dinna hit the baw ootwi the planet's atmosphere. The secret is tae pit yer haill body intae yer swing. Watch me.'

Kat watched Dina blooter a dizzen asterbaws intae ooter space. Then it wis her shot. Her first three baws climbed tae they became specks in the cloodless Perjinkian sky, but then fell back tae the groond — ane o them jist scartin Doug's antenna.

But Kat's fowerth shot skitit richt ootwi the planet's atmosphere. Dina luiked weel impressed. Whan Kat did the same wi the nixt three asterbaws, Dina muttert, 'I wunner...'

'Kat,' said Dina, ' ma pairtner for the Mixed-Planet Doubles canna play this year – she's fae Planet Drookit an has got the cauld. I wis jist wunnerin if *you'd* be interestit in playin wi me. I dinna think there's ever been a Perjink-Earth team, but we can ayewis be the first.'

'Oh, ay, please!' said Kat enthusiastically. 'Whan dis the game stert?'

'In three minutes,' said Dina. 'We'd better get ready!'

Cloot arrived back fae his shift tae watch Kat an Dina's match. He an Doug hovered in the front row. There were nae seats in the asterbaw stadium: jist rows o hovernuts o various shapes an sizes.

The delegation fae Planet Clarty hud been invitit tae the match, and a hover area had been set aside for them, wi anti-clart covers. A special-forces team wis on staundby tae wheech in an redd up onything that strayed aff the covers.

Cloot wis cairryin a poke o snodcakes for the game, an offered ane tae Doug. He explained that they were baked wi the icing on the inside, sae it didna stick tae yer fingers an then get ontae ither fowk's chairs an fae there ontae their bahoochies.

'Braw,' said Doug. 'I'll yaise the recipe in ma Inter-Planetary Cookbuik.' An he stertit tae chaw the snodcake tae analyse its ingredients.

Kat an Dina's opponents in the final were fae planets Skelp an Blooter, sae they were awfie guid shots. They won the first game, but Kat an Dina gubbed them in the saicond. Awthing hung on the third an final game.

Dina stertit weel an cleared maist the asterbaws in their hauf in record time. But the ither team were reddin their hauf o the groond gey fast, tae. Suin, Kat realised that tho she an Dina had jist twa asterbaws left, their opponents had jist ane! But then the ither team cudna decide which o them shud hit their last asterbaw tae win the championship. They ran at it thegither, crashed intae each ither, an cowped ower − wi gey sair heids.

Quickly, Dina hit ane o her asterbaws, leavin Kat the honour o hittin the last ane. Kat minded Dina's advice an pit her haill body ahint the shot.

She gied the asterbaw a skelp that wid hae made the legendary Sclaff prood. It wheeched ower the heids o the hoverin crood an disappeared intae the sky. For a saicond, the crood held its braith. Wid the asterbaw faw back doon? But it didna. Aw aroond the stadium, hovernuts danced up an doon as the Perjinkian crood went daft, clappin an cheerin. Cloot wis huggin Doug an awbody aroond Cloot wis huggin him. Kat an Dina had won the Perjinkian Cup.

'Kat,' said Dina, efter the excitement had deed doon, 'I'd like ye tae keep the Cup an tak it hame wi ye tae Earth. Mind,' she added, winkin at Kat, 'ye'll need tae keep it clean.'

'Oh, I will,' said Kat, excitedly. 'I *definitely* will. Eh, Doug?'

But Doug didna reply. He wis busy snufflin aboot for a wormhole tae tak them back.

'Ay,' said Kat sadly, 'I suppose it *is* time we were heidin hame.'

It wisna lang afore Doug foond whit he wis luikin for, an his tail stertit gaun its dinger again.

'We'd better re-clart oorsels first, Kat' said Doug, getting oot his Declarter an stertin tae pit it intae reverse.

'Actually, Doug,' said Kat, mindin hoo her maw had luiked at her trainers, 'mibbe I'll jist stey as I am this time.'

They landed back in Kat's gairden, jist as Kat's maw wis leanin oot the door an mindin her tae redd up her room. 'I'm on ma wey,' said Kat, wheechin past her maw up the stair. 'Doug?' she said. 'See that Declartin device o yours. Does it work on rooms tae?'

Kat's maw luiked fair bumbazed, as she keeked intae Kat's room ten minutes later. It wis as perjink as cud be.

'That wis gey fast,' said Kat's maw. 'Did ye get some wizard freens tae help ye oot?'

'Och, naw,' said Kat smilin. 'Jist Doug.' She clapped Doug's heid an he wagged his cybertail.

'Ay,' said Kat's maw, shakkin her heid. 'Whitiver.'

Kat pit the Asterbaw Cup on her Space Stravaig shelf, alangside her wormskates an her souvenirs fae ither planets.

'The morn,' she said tae Doug, 'I'm speirin Fraser for a return match.'

Some words fae Planet Perjink

barkit

If someone says yer trainers are **barkit**, they mean they are *really* dirty an grimy.

clarty

Clarty things or **clarty** fowk are gey messy an dirty.

cloot

A **cloot** is a cloth that ye clean things wi. Ye can use a **cloot** tae wrap up puddins – like **clootie dumplins** or Christmas puddins – while ye cook them tae.

dicht

If ye **dicht** something, ye give it a wee wipe (mibbe wi a *cloot*). Ye **dicht** yer neb if it's aw snotterie wi the cauld.

fantoosh

Something that's **fantoosh** is awfie fancy an braw-luikin. Ye cud say *swankie* insteid.

perjink

Something that is **perjink** is gey neat an trim.

pernickety

Someone that is **pernickety** is awfie fussy an wants awthing tae be perfect aw the time.

redd

If ye **redd** a table, or **redd up** a room, ye are clearin it, or tidyin it up.

sclaff

Ye **sclaff** a baw whan ye hit it hard. Ye cud say *skelp* or *blooter* insteid.

skail

Whan ye **skail** juice, it means ye spill it aw ower the place. If lots o fowk are leavin a buildin at the same time, ye can say they are **skailin** oot.

skoosh

Skooshin watter means squirtin or sprayin it aboot, an a **skoosher** is something that sprays watter (like a *plant skoosher*). If something is awfie easy tae dae, ye can say 'it's a *skoosh!*'

snod

A **snod** thing is gey neat an trim. Ye cud say *trig* insteid.

sook

You **sook** up juice or milk throu a straw, an a vacuum-cleaner **sooks** up stour.

sproosh

Something or someone that is **sproosh** luiks gey smert. If ye **sproosh** yersel up, or **sproosh up** yer room, ye mak yersel or yer room luik smert.

swankie

Something or someone that is **swankie** luiks braw or fancy. Ye cud say *fantoosh* as weel.

trig

If ye say something is **trig**, ye mean it is awfie neat an clean. Ye cud say *snod* as weel.